Petites énigmes
mathématiques et logiques

Ian Stewart

Petites énigmes mathématiques et logiques

Traduit de l'anglais
par Olivier Courcelle

L'ouvrage original a paru sous le titre
Professor Stewart's Hoard of Mathematical Treasures
aux éditions Profile Books LTD, Londres, 2009
et sous le titre *La Chasse aux trésors mathématiques*,
© Flammarion, 2010, pour l'édition intégrale dont est issu cet ouvrage.

ÉNIGMES

1. Le dessous des tasses

Tout commence par un simple tour de magie avec trois tasses. Il est amusant en lui-même mais suscite en prime des questions aux réponses surprenantes.

Un truc vieux comme le monde permet de gagner de l'argent au pub. Il nécessite trois tasses et une bille. La bille a forme humaine, et vous pouvez utiliser tous les moyens à portée de main (abus dangereux pour la santé) pour endormir à la fois sa méfiance et sa vivacité d'esprit.

L'arnaqueur pose trois tasses (ou trois chopes) sur le bar.

Il retourne la tasse du centre

et explique qu'en trois mouvements, chacun d'eux mobilisant exactement *deux* tasses, pas nécessairement adjacentes, il va faire en sorte que les trois tasses soient retournées (et non seulement celle du centre). Cela pourrait bien sûr se faire en un mouvement – retourner les deux tasses des extrémités – mais les trois mouvements requis par l'énoncé font partie de l'embrouille. Voici les trois mouvements :

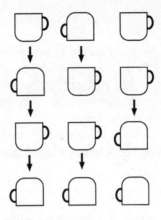

L'arnaqueur commence alors son travail sur la bille. Il tourne négligemment la tasse du centre pour obtenir :

et invite la bille à recommencer le tour avec, évidemment, une petite mise en jeu pour pimenter l'affaire.

De manière étonnante, quels que soient les mouvements choisis par la bille, les tasses refusent de se placer comme il faut. Ce que la bille n'a pas remarqué, c'est que, l'air de rien, la position initiale des tasses a été modifiée. Et même si elle avait remarqué le changement, elle n'aurait jamais imaginé qu'il puisse avoir de telles conséquences pour son porte-monnaie. D'un nombre impair de tasses retournées, la configuration de départ est passée à un nombre pair. Or, chaque mouvement *préserve* la parité du nombre de tasses retournées. Le nombre de tasses retournées change de -2, 2 ou 0 à chaque mouvement, aussi ce nombre reste-t-il pair, s'il était pair ; et impair, s'il était impair. Le nombre de tasses retournées de la première configuration de départ est impair, celui de la position finale doit l'être aussi. Mais le nombre de tasses retournées de la seconde position initiale est pair, ce qui rend inaccessible la position finale demandée, et pas seulement en trois mouvements, mais en autant de mouvements que l'on voudra.

Le vilain escroc (n'essayez pas ce tour à la maison, ni dans un pub ni n'importe où ailleurs – ou si vous le faites, s'il vous plaît ne mentionnez pas mon nom) exerce sa perverse malignité en suggérant que le problème de l'inversion des tasses est plus difficile qu'il n'en a l'air, mais aussi en focalisant l'attention de sa victime sur une solution en trois mouvements, alors que le problème original peut être résolu en un seul.

En modifiant légèrement le scénario du pub, le problème peut se généraliser. Voici deux exemples qui fonctionnent selon les mêmes principes.

Problème des tasses n° 1

On part de onze tasses toutes renversées. Vous pouvez faire une série de mouvements, chacun d'eux retournant précisément quatre tasses, pas forcément adjacentes. Votre but est d'obtenir les onze tasses à l'endroit. Est-ce possible, et si oui, quel est le nombre de coups minimal pour le faire ?

Problème des tasses n° 2

Même question en partant de douze tasses, toutes retournées. Mais cette fois, chaque mouvement doit retourner exactement cinq tasses, pas nécessairement adjacentes. Vous devez parvenir à mettre les douze tasses à l'endroit. Est-ce possible, et si oui, quel est le nombre de coups minimal pour le faire ?

Problème des tasses n° 1

Celui-ci est insoluble pour ces mêmes raisons de parité. On part d'un nombre pair (0) de tasses à l'endroit pour arriver à un nombre impair (11). Comme on change un nombre pair de tasses chaque fois, la parité ne peut pas changer.

Problème des tasses n° 2

Celui-là admet une solution, et la plus courte nécessite quatre mouvements.

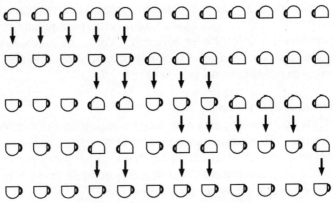

Inverser douze tasses, cinq à la fois.

Une version générale du problème s'énonce avec n tasses, au départ toutes renversées, chaque mouvement inversant exactement m tasses. Les règles de parité excluent les cas où n est impair et m est pair. Des solutions existent dans tous les autres cas. Man-Keung Siu et moi avons prouvé que la solution qui nécessitait le moins de mouvements dépend d'une façon étonnamment compliquée de m et n. Il y a six cas différents, que je mentionne pour la forme :

n pair, m pair, $2m \leq n$: $\quad \left\lceil \dfrac{n}{m} \right\rceil$

n pair, m pair, $2m > n$: $\quad$ 1 si $m = n$, 3 si $m < n$

n pair, m impair, $2m \leq n$: $\quad 2\left\lceil\dfrac{n}{2m}\right\rceil$

n pair, m impair, $2m > n$: $\quad 2\left\lceil\dfrac{n}{2(n-m)}\right\rceil$

n impair, m impair, $2m \leq n$: $2\left\lceil\dfrac{(n-m)}{2m}\right\rceil + 1$

n impair, m impair, $2m > n$: 1 si $m = n$, 3 si $m < n$

Ici $[x]$ désigne la partie entière (par excès) de x, le plus petit entier plus grand ou égal à x.

2. Le calendrier magique

C. «Kiki» Lafée, le célèbre magicien, présenta au public le calendrier que venait de lui tendre sa superbe assistante. Un calendrier tout ce qu'il y a de plus ordinaire, avec, chaque mois, sept colonnes intitulées dimanche, lundi, etc. et contenant les numéros des jours dans l'ordre.

Tandis que son assistante lui bandait les yeux, Kiki demanda un volontaire dans le public.

«Je veux que vous choisissiez un mois dans le calendrier, et que vous traciez un carré 3 × 3 autour de neuf dates. Il ne faut pas qu'il y ait d'espace vide. Donnez-moi ensuite le plus petit des neuf nombres, et je vous dirai *instantanément* combien vaut la somme de ces nombres.»

Ainsi fit le volontaire qui se trouva choisir un carré de dates dont la plus petite fut 11. À peine l'eut-il annoncée au magicien que ce dernier répondit «171». La méthode de Kiki marche pour tous les carrés 3 × 3. Comment a-t-il procédé?

10	**11**	**12**	**13**	14
17	**18**	**19**	**20**	21
24	**25**	**26**	**27**	28

Ce qu'a choisi le volontaire.

x	x+1	x+2
x+7	x+8	x+9
x+14	x+15	x+16

Les nombres se présentent toujours sous cette forme.

Si le plus petit nombre est x, les nombres dans le carré 3×3 sont $x, x + 1, x + 2, x + 7, x + 8, x + 9, x + 14, x + 15, x + 16$. En les additionnant, on trouve $9x + 72 = 9(x + 8)$. Le volontaire donne à Kiki la valeur de x. Tout ce que ce dernier a à faire est de lui ajouter 8 et de multiplier le résultat par 9. Il est possible de multiplier rapidement un nombre par 9 en lui ajoutant le chiffre 0 à la fin et en soustrayant le nombre de ce nouveau nombre.

Quand le volontaire choisit 11, Kiki ajoute 8 pour obtenir 19 et calcule ensuite $190 - 19 = 171$.

3. Le savoir partagé

Une série de casse-tête repose sur des propriétés contre-intuitives du «savoir partagé»: une information a été rendue publique, que les personnes concernées ne sont plus seules à savoir, mais elles savent que tout le monde le sait, *et* elles savent que tout le monde sait qu'elles savent... Un exemple relevant de cette catégorie concerne les us étranges d'une obscure communauté de moines très polis, les Dégarnins[1].

Alors que frères Alfred, Barnabé et Cyril sont endormis dans leur cellule, un facétieux novice vient furtivement leur déposer une touche de peinture bleue sur le haut du front. Au réveil, chaque moine remarque la tache sur le front des deux autres. Mais les règles du monastère sont claires: dire quelque chose d'embarrassant pour un autre membre de l'ordre est impoli. Cacher quelque chose d'embarrassant pour *soi* est également impoli. Et bien sûr, l'impolitesse n'est permise en aucun cas. Ainsi les moines ne disent rien et leur comportement ne trahit rien de ce qu'ils ont vu.

Chaque moine se demande vaguement s'il a lui aussi une tache sur le front, mais n'ose pas poser la question. Il n'y a ni miroir ni aucune surface réfléchissante dans la cellule. Les choses en restent là quand survient l'abbé. Après avoir froncé les sourcils, il indique aux moines (en évitant adroitement tout embarras direct) que: «Au moins l'un d'entre vous à une tache sur le front.»

Bien sûr, les moines connaissent déjà cette information. Alors quelle différence cela peut-il bien faire?

---

1. Ordre régulier célèbre par une tonsure très marquée, spécialement sur le devant de la tête.

Si vous n'avez jamais rencontré ce casse-tête auparavant, il vaut mieux commencer avec la version plus simple impliquant seulement deux moines, Alfred et Barnabé. Chacun peut voir la tache de l'autre, mais aucun ne sait à quoi ressemble son propre front. Après l'annonce publique de l'abbé, Alfred commence à penser: «Je sais que Barnabé a une tache, mais il ne le sait pas car il ne peut pas voir son propre front. Seigneur, ai-*je* une tache? Voyons... Supposons que je n'aie pas de tache, alors Barnabé verra que je n'en ai pas, il déduira donc immédiatement de l'annonce de l'abbé que *lui* doit en avoir une. Mais il n'a trahi aucun signe d'embarras. Mon Dieu, je dois avoir une tache moi aussi.» Barnabé parvient de son côté à une conclusion identique.

Sans la remarque de l'abbé, ce raisonnement n'aurait pu fonctionner. Pourtant, l'abbé ne leur a rien dit qu'ils ne savaient déjà. Du moins en apparence. Car s'ils savaient tous deux que l'un des moines au moins (l'autre) avait une tache, ils ne savaient pas que l'*autre* savait que l'un des moines au moins avait une tache.

Pigé le coup? Bravo. Alors que se passe-t-il avec trois moines?

Là encore, ils peuvent tous déduire qu'ils ont une tache, mais seulement après l'annonce de l'abbé (voir la réponse p. 20). De même, s'ils étaient quatre, cinq ou plus. Supposons que l'assemblée compte cent moines. Tous ont une tache sur le front, tous l'ignorent et tous sont des logiciens d'une phénoménale vélocité. Pour éviter des problèmes de synchronisation, supposons que l'abbé ait une clochette. «Toutes les dix secondes, fait-il savoir à l'assemblée, j'agiterai ma clochette. Cela vous donnera le temps de réfléchir. Immédiatement après le coup de clochette, tous les moines qui pourront logiquement déduire qu'ils ont une tache au front devront lever la main.» L'abbé attend un peu, puis agite sa clochette. Rien ne se passe. Il l'agite encore plusieurs fois, mais sans plus de résultat. Réalisant subitement qu'il a oublié quelque chose, il ajoute: «Au moins l'un d'entre vous a une tache que le front.»

Rien ne se passe pendant 99 coups de clochette, puis les 100 moines lèvent simultanément la main après le 100e coup.

Pourquoi? Un moine, disons le moine 100, peut voir que les 99 autres ont une tache. «Si je n'ai pas de tache, songe-t-il, alors les 99 autres le savent. C'est un peu comme si je ne comptais pour rien. Les autres vont faire toutes leurs déductions sur une assemblée de 99 moines, sachant que je n'ai pas de tache sur le front. Sauf erreur, et si le moine 99 raisonne juste, alors après 99 coups de clochette, les 99 autres moines vont lever leurs mains.» Le moine 100 attend jusqu'au 99e coup, et rien ne se passe. «Ah, c'est que mon hypothèse de départ est fausse et que j'ai une tache sur le front.» Au 100e coup, il lève donc la main. Idem pour les 99 autres moines.

Certes… mais peut-être que le moine 100 se trompait à propos de la justesse du raisonnement du moine 99 et, dans ce cas, tout tombe par terre. Mais le raisonnement du moine 99 (sous l'hypothèse que le moine 100 est sans tache) est identique à celui du moine 100. Le moine 99 attend que les 98 autres lèvent leurs mains au 98e coup, *sauf* si le moine 99 a une tache. Et ainsi de suite, récursivement, jusqu'à arriver à un unique moine hypothétique. Il ne voit de tache nulle part, sursaute en découvrant que, si quelqu'un doit avoir une tache, ce doit être *lui* (point n'est besoin d'être un expert logicien à ce stade), et lève la main après le premier coup de clochette.

Comme le raisonnement du moine 1 est juste, il en est de même de celui du moine 2, puis du moine 3… puis de tous les autres jusqu'à celui du moine 100. Nous tombons là sur un exemple frappant du principe de récurrence. Si une propriété sur les nombres entiers est vraie pour le premier d'entre eux, et si le fait qu'elle soit vraie pour un entier, quel qu'il soit, implique qu'elle soit vraie pour le suivant, alors elle est vraie pour *tous* les entiers.

L'histoire s'arrête habituellement ici, mais pourquoi ne pas aller un peu plus loin… Jusqu'à présent nous avons supposé que tous les moines avaient une tache. Un raisonnement similaire montre pourtant que cette hypothèse n'est pas essentielle. Supposant par exemple que seulement 76 moines sur les 100 ont une tache, alors, s'ils sont tous logiques, rien ne se passera jusqu'au 76e coup, après lequel tous les moines qui ont des taches lèveront simultanément la main, et aucun des autres.

À première vue, il est difficile de voir comment ils se débrouillent. La réponse réside dans la synchronisation de leurs déductions par la clochette et l'application du savoir partagé. Essayez avec deux ou trois moines d'abord, avec un nombre différent de taches, ou trichez en allant regarder la solution page 20.

Avec trois moines, chacun d'eux ayant une tache, le raisonnement est le suivant. Alfred pense: «Si *je* n'ai pas de tache, Barnabé voit une tache sur Cyril mais pas sur moi. Il se demandera alors s'il a une tache, et pensera: "Si moi, Barnabé, n'ai pas de tache, alors Cyril verra que ni Alfred ni moi n'avons de tache, et il en déduira rapidement qu'*il* a une tache. Mais Cyril, qui est pourtant un excellent logicien, ne dit rien. J'ai donc une tache."»

Raisonnement d'Alfred: «Puisque Barnabé est aussi un excellent logicien, qu'il a eu beaucoup de temps pour réfléchir et qu'il ne dit rien, c'est que moi, Alfred, j'ai aussi une tache.» À ce stade, Alfred devient cramoisi, tout comme Barnabé et Cyril qui ont chacun suivi un raisonnement similaire.

Supposons maintenant qu'il y ait seulement deux moines et que seul Barnabé ait une tache. Quand l'abbé fait sa déclaration, Barnabé voit qu'Alfred n'a pas de tache, en déduit immédiatement que lui-même en a une, et lève sa main au premier coup de clochette. Alfred ne lève pas la sienne, car à ce stade, il n'est pas encore certain de son statut.

Supposons maintenant qu'il y ait trois moines, seuls Barnabé et Cyril ayant des taches. Barnabé voit seulement une tache, celle qui est sur Cyril. Il songe que si lui, Barnabé, n'a pas de tache, Cyril n'en verra aucune et lèvera sa main au premier coup de clochette. Ce qu'il ne fait pas (nous allons bientôt voir pourquoi). Barnabé sait désormais qu'il a une tache et lève sa main au second coup de clochette.

Cyril est exactement dans la même position que Barnabé, puisqu'il ne voit qu'une tache, celle sur Barnabé. Il ne lève donc pas la main au premier coup de clochette mais le fait au second.

Alfred est dans une position tout à fait différente. Il voit deux taches, l'une sur Barnabé, l'autre sur Cyril. Il se demande si lui, Alfred, a aussi une tache. Si oui, ils auraient alors tous les trois une tache et il sait, d'après la version précédente du casse-tête, que tous lèveraient la main au troisième coup de sonnette. Mais les deux autres lèvent la main au deuxième coup. Il sait donc qu'il n'a pas de tache.

Le cas général de n moines dont m ont des taches peut aussi se prouver par récurrence, mais je vous en épargne le détail.

4. Les oignons au vinaigre

Trois voyageurs épuisés arrivent sur le tard dans une auberge et demandent au tenancier de leur préparer à manger.

«Hélas, il ne me reste que des oignons au vinaigre», annonce l'aubergiste.

Les voyageurs répondent que les oignons conviendront, merci, puisqu'il n'y a pas d'autre alternative.

Le tenancier disparaît et revient quelque temps plus tard avec un bocal rempli d'oignons au vinaigre. Comme entretemps les voyageurs se sont endormis, il pose le bocal sur la table et part se coucher, laissant à ses hôtes le soin de se servir eux-mêmes.

Le premier voyageur se réveille. Désirant éviter de passer pour un vil égoïste et ne sachant pas si ses compagnons ont déjà mangé, il soulève le couvercle, jette un oignon qui lui paraît gâté, mange le tiers de ceux qui restent et repose le couvercle.

Le second voyageur se réveille. Ne voulant pas passer pour un vil égoïste et ne sachant pas si ses compagnons ont déjà mangé, il soulève le couvercle, jette deux oignons qui lui paraissent gâtés, mange le tiers de ceux qui restent et repose le couvercle.

Le troisième voyageur se réveille. Ne voulant pas passer pour un vil égoïste et ne sachant pas si ses compagnons ont déjà mangé, il soulève le couvercle, jette trois oignons qui lui paraissent gâtés, mange le tiers de ceux qui restent et repose le couvercle.

Le tenancier revient et repart avec le bocal qui contient alors six oignons.

Combien d'oignons y avait-il au départ?

Le bocal contenait 31 oignons au vinaigre.

Supposons qu'il en contenait a au départ, b après que le premier voyageur a mangé, c après que le second voyageur a mangé et d après que le troisième voyageur a mangé. Alors :

$$b = \frac{2(a-1)}{3}, \ c = \frac{2(b-2)}{3}, \ d = \frac{2(c-3)}{3}$$

ce qui se réécrit :

$$a = \frac{3b}{2} + 1, \ b = \frac{3c}{2} + 2, \ c = \frac{3d}{2} + 3$$

Comme il nous a été dit que $d = 6$, on trouve de proche en proche que $c = 12$, $b = 20$ et $a = 31$.

5. Deviner la carte

Le grand C. «Kiki» Lafée a plus d'un tour de cartes dans son jeu. En voici un grâce auquel il identifie une carte parmi 27 prises dans un jeu standard. Kiki les mélange et les étale devant sa victime de manière à ce qu'elle puisse toutes les voir.

«Choisissez mentalement une carte, ordonne-t-il. Tournez-vous, inscrivez le nom de la carte à l'intérieur de cette enveloppe et refermez-la.»

Kiki distribue ensuite les cartes, faces visibles, en trois paquets de neuf, et demande à sa victime de lui indiquer dans quelle pile se trouve la carte qu'il a choisie.

Il prend les paquets, les pose l'un sur l'autre sans les battre, les distribue de nouveau en trois paquets et pose la même question.

Il prend une dernière fois les paquets, les pose l'un sur l'autre sans les battre, les distribue en trois paquets et pose la même question.

Il désigne alors la carte choisie.

Quel est le truc?

À chaque étape, Kiki ramasse les cartes en plaçant la pile choisie entre les deux autres. La carte progresse vers le milieu du paquet de cartes jusqu'à se retrouver au milieu de la pile choisie lors de la dernière étape.

6. Et maintenant avec un jeu complet

Mais Kiki peut faire beaucoup mieux. En deux passes, il est capable d'identifier une carte dans un paquet de cinquante-deux.

Il étale d'abord les cartes en treize rangées de quatre cartes, et demande dans quelle rangée se trouve la carte choisie.

Il reforme le paquet en laissant les cartes dans le même ordre, les étale en quatre rangées de treize cartes et demande de nouveau dans quelle rangée se trouve la carte.

Il trouve alors à coup sûr la carte choisie.

Quel est le truc?

La première question équivaut à demander dans quelle colonne est la carte après la seconde passe. Connaissant ensuite la rangée, la carte est toute trouvée.

Tel quel, le truc est facile à deviner, mais il peut être rendu moins évident en utilisant 30 cartes, réparties en 6 rangées de 5, puis en 5 rangées de 6. D'une manière générale, il marche avec ab cartes réparties en a rangées de b cartes, puis en b rangées de a cartes, pour n'importe quels entiers a et b.

7. Halloween = Noël

Pourquoi les mathématiciens confondent-ils toujours Halloween (31 oct.) avec Noël?

RÉPONSE

Parce que 31 oct. = 25 déc. Ou en d'autres termes 31 en base 8 (octale) = 25 en base 10 (décimale). En base 8 en effet, 31 signifie $3 \times 8 + 1$, soit 25.

8. Curiosité arithmétique

Qu'est ce que le nombre 0588235294117647 a de spécial? (Il ne faut pas oublier le 0.) Essayez de le multiplier par 2, 3, 4, 5, 6, 7, 8, 9, 10, 11, 12, 13, 14, 15, 16, et vous verrez. Il faut une calculatrice qui travaille à 16 chiffres ou un cerveau humain, un papier et un crayon.

Que se passe-t-il en multipliant par 17?

Multiplier 0588235294117647 par 2, 3, 4, 5, ... 16 fait apparaître la même suite de chiffres, dans le même ordre cyclique. C'est-à-dire la même séquence quitte à revenir au début quand on arrive à la fin. Plus spécifiquement :

$$0588235294117647 \times 2 = 1176470588235294$$
$$0588235294117647 \times 3 = 1764705882352941$$
$$0588235294117647 \times 4 = 2352941176470588$$
$$0588235294117647 \times 5 = 2941176470588235$$
$$0588235294117647 \times 6 = 3529411764705882$$
$$0588235294117647 \times 7 = 4117647058823529$$
$$0588235294117647 \times 8 = 4705882352941176$$
$$0588235294117647 \times 9 = 5294117647058823$$
$$0588235294117647 \times 10 = 5882352941176470$$
$$0588235294117647 \times 11 = 6470588235294117$$
$$0588235294117647 \times 12 = 7058823529411764$$
$$0588235294117647 \times 13 = 7647058823529411$$
$$0588235294117647 \times 14 = 8235294117647058$$
$$0588235294117647 \times 15 = 8823529411764705$$
$$0588235294117647 \times 16 = 9411764705882352$$

Pour la seconde question :

$$0588235294117647 \times 17 = 9999999999999999$$

La raison profonde de ce phénomène se trouve dans le développement décimal de la fraction 1/17 qui est :

0, 0588235294117647 0588235294117647 0588235294117647...
(La séquence 0588235294117647 se répète indéfiniment.)

9. Pot commun

Alice et Babette louent des stands adjacents pour vendre toutes deux des bracelets bon marché. Chacune a trente bracelets. Alice décide de les vendre à 10 euros les deux, tandis que Babette penche pour 20 euros les trois. En supposant qu'elles vendent tous leurs bracelets, elles gagneraient donc au total 150 + 200 = 350 euros.

Mais craignant que la concurrence ne puisse déstabiliser le marché, elles décident de s'allier et de mettre leurs ressources en commun. S'avisant que deux bracelets pour 10 euros et trois pour 20 euros se combinent pour donner cinq bracelets pour 30 euros, elles calculent qu'à ce prix, en vendant les 60 bracelets, elles gagneront 360 euros, soit 10 euros de plus.

Juste en face, Christine et Daphné vendent aussi chacune un stock de bracelets. Christine pensait mettre en vente les siens à 10 euros les deux, tandis que Daphné songeait à tirer sérieusement le marché vers le bas en vendant les siens à 10 euros les trois. Mais après avoir eu vent des manigances d'Alice et de Babette, elles décident elles aussi de s'allier, et de vendre leurs 60 bracelets à 20 euros les cinq.

Est-ce une bonne idée ?

RÉPONSE

C'est une mauvaise idée. Christine gagnerait 150 euros et Daphné 100 euros, soit un total de 250 euros. Ensemble, elles gagneraient seulement 240 euros.

Les deux couples de vendeuses forment une hypothèse injustifiée qui est à l'avantage du premier et au détriment du second. Elles combinent les prix de a bracelets pour b euros et de c bracelets pour d euros en additionnant les nombres pour obtenir $a + c$ bracelets pour $b + d$ euros. Cela revient à essayer d'additionner deux fractions en utilisant la règle :

$$\frac{a}{b} + \frac{b}{d} = \frac{a+b}{c+d}$$

Or, nous avons vu précédemment à quel point elle était fausse. Elle conduit parfois à une surestimation, parfois à une sousestimation. Elle donne un résultat juste quand les deux fractions sont égales.

10. Cinq doublons d'or

«Exercice! Exercice!» hurla soudainement Barberouge le pirate. Il aimait bien tenir l'esprit de ses hommes d'équipage en alerte. Ne serait-ce que pour être sûr qu'ils en avaient encore un.

Il montra quatre pièces, des doublons d'or tous identiques.

«Ce que j'attends de vous, c'est de placer ces quatre pièces de façon à ce qu'elles soient *équidistantes.*»

Devant l'air déconcerté de son équipage, Barberouge s'expliqua: «Ce que je veux dire, c'est que la distance entre deux pièces, quelles qu'elles soient, doit être la même que celle entre deux autres, quelles qu'elles soient.»

À la plus grande surprise du capitaine, le second remarqua immédiatement que travailler dans le plan ne suffisait pas et que la solution du problème requérait l'utilisation de la troisième dimension. Il juxtaposa trois pièces en triangle et plaça la quatrième au sommet de ce socle. Toutes les pièces se touchant, leurs distances mutuelles étaient toutes nulles, donc égales.

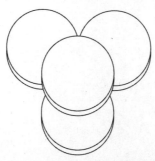

Solution du problème à quatre pièces.

Barberouge, un tantinet déçu, réfléchit un instant : «Tu te crois fort, hein? Alors essaie un peu avec *cinq* pièces pour voir... Cinq pièces toutes équidistantes les unes des autres!»

Ce ne fut pas facile, mais le second finit par trouver une solution.

Avez-vous une idée de la manière dont il a procédé?

Le second pose une pièce sur la table, place sur elle, au centre, deux pièces qui se touchent, les maintient ainsi le temps de poser les deux dernières sur la tranche, légèrement penchées et se touchant à leur sommet.

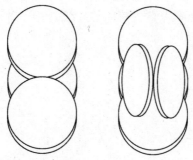

Disposer les trois premières pièces comme sur la figure de gauche, puis ajouter les deux dernières.

11. Un curieux incident à propos d'un chien

Dans *Flamme d'argent*, l'une des histoires de Sherlock Holmes écrites par Sir Arthur Conan Doyle, on trouve ce dialogue :

« Y a-t-il un autre point sur lequel vous désirez attirer mon attention ?

— Oui, sur l'incident curieux du chien durant cette nuit-là.

— Mais le chien n'a rien fait durant cette nuit-là.

— C'est ce qui est curieux », remarqua Sherlock Holmes.

Voici une suite :

1, 2, 4, 7, 8, 11, 14, 16, 17, 19, 22, 26, 28, 29, 41, 44

Compte tenu de la remarque de Sherlock Holmes, quel est le nombre qui suit ?

Le nombre suivant est 46.

La remarque de Sherlock Holmes nous incite à regarder ce qui *manque* plutôt que ce qu'il y a. Les nombres qui manquent sont:

3, 5, 6, 9, 10, 12, 13, 15, 18, 20, 21, 23, 24, 25, 27,
30, 31, 32, 33, 34, 35, 36, 37, 38, 39, 40, 42, 43

Ce sont les multiples de 3, les multiples de 5, les nombres qui contiennent le chiffre 3 et ceux qui contiennent le chiffre 5. Le nombre suivant dans la liste proposée est donc 46 (car 45 est un multiple de 5).

12. Un théorème des quatre couleurs

En disposant trois disques de manière à ce que chacun touche les deux autres, il est évident que j'ai besoin de trois couleurs pour colorier les disques, si je veux que les disques qui se touchent soient de couleur différente.

Trois couleurs sont nécessaires.

On ne peut pas disposer dans le plan quatre disques identiques de manière à ce qu'ils se touchent mutuellement. Cela ne signifie pas pour autant que trois couleurs sont suffisantes. Il existe des configurations de disques pour lesquelles quatre couleurs se révèlent nécessaires. Justement. Quel est le nombre *minimum* de disques identiques qui peuvent être arrangés pour que quatre couleurs soient nécessaires ? La règle, rappelons-le, veut que deux disques qui se touchent soient de couleur différente.

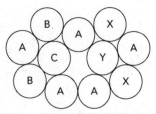

Quatre couleurs sont nécessaires pour colorier ces onze disques.

Il faut au moins onze disques. La figure présente une configuration pour laquelle quatre couleurs sont nécessaires. Supposons, par l'absurde, que trois couleurs suffisent. Colorions le disque au milieu et en haut de la couleur A. Les deux qui le touchent sur la gauche doivent être de couleur B et C, et celui encore plus à gauche doit être de couleur A. Le disque au-dessous de ce dernier doit être de couleur B, et le plus à gauche des disques du bas doit être de couleur A. Voyons maintenant ce qui se passe du côté droit de la figure : ici $X = B$ et $Y = C$, ou $X = C$ et $Y = B$. Dans tous les cas, le disque de droite le plus en bas doit être de couleur A. Il est ainsi de la même couleur que le disque qui le touche à gauche, d'où une contradiction.

Il est possible par ailleurs de prouver que trois couleurs suffisent pour colorier toutes les configurations de dix disques ou moins.

13. Deviner les cartes

«Mesdames et messieurs, annonça C. "Kiki" Lafée, ma superbe assistante va demander à un membre du public de placer une rangée de trois cartes sur cette table. Elle m'aura auparavant bandé les yeux. Par la seule force de l'information extrêmement réduite qu'elle me donnera ensuite, je devinerai les cartes.»

Ainsi fut-il dit, ainsi fut-il fait, et les douces lèvres de la superbe assistante du fameux magicien murmurèrent bientôt cette étrange mélopée :

«À la droite d'un roi se tient une dame ou deux.

À la gauche d'une dame se tient une dame ou deux.

À la gauche d'un cœur se tient un pique ou deux.

À la droite d'un pique se tient un pique ou deux.»

Quelles sont les cartes que Kiki doit deviner ? (Notez que «deux» se rapporte ici à «deux cartes», et non à la carte «deux».)

Le roi de pique, la dame de pique et la dame de cœur. La première carte doit être un pique, la dernière une dame, mais la séquence précise n'est pas entièrement déterminée.

Les deux premières affirmations permettent d'établir que la séquence est RDD ou DRD.

Les deux derniers indiquent qu'elle est de la forme ♠♠♥ ; ou ♠♥♠.

Cela correspond à quatre possibilités :

$$R♠ \ D♠ \ D♥$$
$$R♠ \ D♥ \ D♠$$
$$R♠ \ D♠ \ D♥$$
$$R♠ \ D♥ \ D♠$$

La quatrième contient deux fois la même carte et peut donc être retirée. Les trois autres sont formées des mêmes cartes prises dans un ordre différent.

Ce casse-tête a été inventé par Gerald Kaufman.

14. Deux petits salaires prometteurs

Smith et Jones sont embauchés en même temps avec un salaire de départ de 10 000 euros par an. Tous les six mois, la paie de Smith augmente de 500 euros par rapport à celle de la période de six mois précédente. Tous les ans, la paie de Jones augmente de 1 600 euros comparée à celle de la période des 12 mois précédents. Trois ans plus tard, qui a gagné le plus ?

Étonnamment, Smith a gagné plus que Jones, même si 1 600 euros par an est une somme plus importante que celle de 500 + 1000 euros accumulée par Smith sur l'année. Pour voir pourquoi, listons de six mois en six mois ce que chacun a gagné :

	Smith	Jones
Année 1, premier semestre	5 000 euros	5 000 euros
Année 1, second semestre	5 500 euros	5 000 euros
Année 2, premier semestre	6 000 euros	5 800 euros
Année 2, second semestre	6 500 euros	5 800 euros
Année 3, premier semestre	7 000 euros	6 600 euros
Année 3, second semestre	7 500 euros	6 600 euros

Notez que les 1 600 euros de Jones se décomposent en deux montants de 800 euros par semestre, soit une augmentation de salaire semestriel de 800 euros chaque année. Le salaire semestriel de Smith, lui, augmente de 500 euros chaque semestre. La somme totale gagnée par Smith est pourtant plus importante dès la deuxième période, l'écart se creusant de plus en plus avec le temps. En fait, à la fin de l'année n, Smith a gagné $10\,000n + 500n(2n-1)$ euros et Jones $10\,000n + 800n(n-1)$ euros. La différence Smith − Jones = $200n^2 + 300n$ est positive et croît avec n.

15. Compléter le carré

Le carré magique traditionnel 3 × 3 ressemble à ceci :

8	3	4
1	5	9
6	7	2

Le carré magique traditionnel.

Chaque cellule contient un nombre différent, la somme de chaque rangée, de chaque colonne et de chaque diagonale vaut 15.

À vous de trouver un carré magique satisfaisant aux mêmes conditions, mais avec un 8 au milieu de la rangée du haut.

	8	

Contrainte de départ.

L'énoncé ne vous impose pas d'utiliser les entiers de 1 à 9. Une solution sous cette condition n'existe pas, car tous les nombres pairs doivent se trouver dans des coins. Le carré magique peut se compléter avec des nombres fractionnaires. La figure montre une solution, peut-être la plus simple, mais il y en a une infinité d'autres, même en se restreignant aux nombres positifs.

$4\frac{1}{2}$	8	$2\frac{1}{2}$
3	5	7
$7\frac{1}{2}$	2	$5\frac{1}{2}$

Un carré magique non orthodoxe.

16. Le millionième chiffre

Supposons que l'on écrive tous les nombres entiers les uns à la suite des autres, sans espace entre eux, de la manière suivante :

12345678910111213141516171819202122232425 26...

Quel serait le millionième chiffre ?

Réponse

Le millionième chiffre serait 1.

- Les nombres de 1 à 9 occupent 9 positions.
- Les nombres de 10 à 99 occupent les $2 \times 90 = 180$ positions suivantes.
- Les nombres de 100 à 999 occupent les $3 \times 900 = 2\,700$ positions suivantes.
- Les nombres de 1000 à 9999 occupent les $4 \times 9000 = 36\,000$ positions suivantes.
- Les nombres de 10000 à 99999 occupent les $5 \times 90\,000 = 450\,000$ positions suivantes.

À ce stade, nous avons atteint en tout la position 488 889. Comme **1 000 000 − 488 889 = 51 111**, nous cherchons le chiffre en position 511 111 dans le bloc qui commence par 100 000 – 100 001 – 100 002, etc. Ces groupes de six chiffres nous conduisent à calculer 511 111/6, ce qui donne $85\,185\frac{1}{6}$. Nous cherchons donc le premier chiffre du 85 186ᵉ bloc de six chiffres. Ce bloc est 185 185, de premier chiffre 1.

17. Carrés, suites et sommes de chiffres

La suite :

$$81, 100, 121, 144, 169, 196, 225$$

est formée de sept carrés consécutifs. Elle se comporte curieusement : la somme des chiffres de chacun de ces nombres est elle-même un carré. Par exemple $1 + 6 + 9 = 16 = 4^2$.

Pouvez-vous trouver une autre suite de sept carrés consécutifs affichant la même propriété ?

La suite du même type la plus proche est :

$$99\,980\,001,\ 100\,000\,000,\ 100\,020\,001,\ 100\,040\,004,$$
$$100\,060\,009,\ 100\,080\,016,\ 100\,100\,025$$

Ce sont tous des carrés de nombres compris entre $9\,999$ et $10\,005$.

De bons candidats sont fournis par les carrés des nombres de la forme 100…00, 100…01, 100…02, 100…03, 100…04 et 100…05, avec leurs nombreux zéros et leurs chiffres restants qui s'additionnent pour donner les carrés 1, 4, 9, 16, 16 et 9. Pour étendre cette liste de six carrés consécutifs à sept, il faut regarder 999…9 et 100…06. La somme des chiffres de 99^2 fait 18, qui n'est pas un carré, celle de 999^2 fait 27, qui n'est pas un carré non plus, mais celle de $9\,999^2$ fait 36. À l'autre extrémité, la somme des chiffres de 106^2, $1\,006^2$ ou $10\,006^2$ vaut 13, qui n'est pas un carré.

Pour exclure tout ce qui se trouve entre 15^2 et $9\,999^2$, il suffit de trouver une suite de carrés de nombres qui diffèrent au plus de 6 et dont la somme des chiffres ne soit pas un carré. Par exemple :

- $16^2 = 256$ dont la somme des chiffres vaut 13.
- $19^2 = 361$ dont la somme des chiffres vaut 10.
- (Je ne peux pas utiliser 20^2, 21^2 et 22^2 dont des chiffres s'additionnent pour donner des carrés.)
- $25^2 = 625$ dont la somme des chiffres vaut 13.
- $29^2 = 841$ dont la somme des chiffres vaut 13.

Et ainsi de suite. Je suis sûr qu'il est possible de faire plus court et qu'un ordinateur pourrait tester cette plage de valeurs.

Personne ne semble savoir s'il existe *huit* carrés consécutifs dont les sommes des chiffres sont aussi des carrés.

18. Partager le gâteau

En procédant à 1, 2, 3 ou 4 coupes rectilignes sur un gâteau circulaire, il est possible d'obtenir au plus 2, 4, 7 et 11 parts. (Bouger les parts entre chaque coupe est interdit.)

Quel est le plus grand nombre de parts qu'il est possible d'obtenir en cinq coupes ?

Le plus grand nombre de parts en 1, 2, 3 et 4 coupes.

Il est possible d'obtenir au plus seize parts. Voici la manière de procéder :

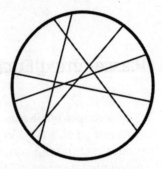

Comment obtenir 16 parts en 5 coupes.

De manière générale, si n désigne le nombre de coupes, le nombre de parts maximal vaut :

$$\frac{1}{2}n(n+1)+1$$

le n-ième nombre triangulaire plus 1.

19. Le casse-tête d'Euclide

Selon la légende, le casse-tête suivant a été proposé par le grand géomètre Euclide.

Un âne et une mule portent chacun plusieurs sacs identiques très lourds et la route est longue. Quand l'âne commence à exprimer sa lassitude, les grognements ne tardent pas à exaspérer la mule:

«De quoi te plains-tu? Si tu me donnais un sac, j'en porterais deux fois plus que toi! Et si c'était moi qui t'en donnais un, nous en porterions le même nombre.»

Combien de sacs portent respectivement l'âne et la mule?

RÉPONSE

L'âne porte cinq sacs et la mule sept. Soit x le nombre de sacs de l'âne et y celui de la mule. La mule nous donne deux éléments d'information :

$$y + 1 = 2\,(x - 1)$$
$$x + 1 = y - 1$$

La seconde équation nous donne $y = x + 2$. La première nous donne ensuite $x + 3 = 2x - 2$, soit $x = 5$. D'où $y = 7$.

20. La loterie infinie

La loterie infinie nécessite une infinité de sacs, un numéroté 1, un numéroté 2, un numéroté 3, un numéroté 4 et ainsi de suite. Chaque sac contient une infinité de boules marquées du numéro du sac.

On vous donne une grande boîte. Vous pouvez y placer le nombre de boules de votre choix en les prenant dans les sacs de votre choix. Seule contrainte : le nombre total de boules doit être fini.

On vous demande maintenant de changer les boules dans la boîte en suivant cette règle : vous retirez et montrez une boule, et vous la remplacez par autant de boules que vous voulez, pourvu qu'elles portent un nombre plus petit que celui qui a été tiré. Par exemple, si vous tirez une boule portant le numéro 100, vous pouvez mettre dans la boîte 10 millions de boules portant le numéro 99, 17 milliards de boules portant le numéro 98, etc. Il n'y a donc pas de limite supérieure au nombre de boules qui peuvent remplacer la boule marquée 100 que vous avez tirée.

Et vous continuez. À chaque étape, vous pouvez remplacer la boule tirée par la combinaison de boules de votre choix, pourvu qu'elles soient en nombre fini et que leur numéro soit plus petit que celui de la boule tirée. Si vous tirez la boule 1, vous ne pouvez pas la remplacer car il n'y a pas de boules marquées d'un numéro plus petit.

Si vous finissez par tirer toutes les boules et vider la boîte, vous perdez. Si au contraire vous parvenez à changer perpétuellement une boule, c'est-à-dire à toujours pouvoir en tirer une, vous gagnez.

Mais pouvez-vous gagner ? Et si oui, comment ?

Vous ne pouvez pas gagner. La loterie infinie finira par triompher en vous forçant à retirer toutes les boules.

Cela va à l'encontre de l'intuition, étant donné que le nombre de boules peut augmenter d'une quantité gigantesque à chaque étape. Mais cette quantité est finie, et l'infini ne l'est pas. Raymond Smullyan a montré en 1979 que vous perdez toujours. L'idée de sa preuve consiste à regarder le plus grand numéro qui se trouve dans la boîte et à suivre à la trace les numéros qui pourraient le dépasser.

Supposons d'abord que le plus grand numéro dans la boîte soit 1. Cela signifie que toutes les boules de la boîte portent le numéro 1. Il vous faut donc retirer une à une toutes les boules, et vous avez perdu.

Supposons maintenant que le plus grand numéro dans la boîte soit 2. Vous ne pouvez pas tirer des 1 indéfiniment, puisqu'ils sont en nombre fini. À un moment donné, vous tirerez donc un 2, et le remplacerez par une certaine quantité de 1. Le nombre de 2 a donc baissé. Le nombre de 1 a augmenté mais reste fini. De nouveau, vous ne pourrez pas tirer des 1 indéfiniment, et vous finirez par tirer un 2 et le remplacer par des 1. Le nombre de 2 a encore baissé. Au bout d'un certain temps, il n'y aura plus de 2. La boîte ne contient alors plus que des 1, et nous avons déjà vu que, dans ce cas, vous perdez, quel que soit le nombre de 1 que la boîte contienne.

Mais peut-être que le plus grand numéro contenu dans la boîte est le 3 ? Dans ce cas, comme vous ne pouvez pas continuellement tirer des 2 et des 1, il arrivera un moment où vous tirerez un 3 et le remplacerez par des 2 et des 1. Le nombre de 3 aura diminué, et le même argument montre qu'il arrivera un moment où il n'y aura plus de 3 dans la boîte. Elle ne contiendra plus que des 1 et des 2, situation perdante, comme on l'a vu.

En continuant de procéder ainsi, il est clair que vous perdez si le plus grand numéro porté par les boules est 4, 5, 6..., et ainsi de suite. C'est-à-dire que vous perdez quel que soit le plus grand numéro porté par les boules qui se trouvent dans la boîte. Et comme le nombre de boules est fini, il existe un plus grand numéro porté par les boules.

Quel qu'il soit, vous perdez !

Formellement, ce type de preuve est une preuve par récurrence. Elle utilise le principe qui veut que, si une propriété sur les nombres entiers est vraie pour $n = 1$, et que sa validité pour n entraîne celle pour $n + 1$, alors elle est vraie pour tous les entiers. La propriété concernée ici est « Si le plus grand numéro porté par les boules de la boîte est n, alors vous perdez ».

Vérifions notre preuve. Si $n = 1$, alors le plus grand nombre porté par les boules de la boîte est 1, et vous perdez.

Supposons que nous ayons prouvé que si le plus grand numéro porté par les boules de la boîte est n alors vous perdez. Supposons que le plus grand nombre de la boîte soit $n + 1$. Comme vous ne pouvez pas tirer indéfiniment des numéros n ou inférieurs, vous finirez par tirer un $n + 1$, et le nombre de boules portant ce numéro aura baissé d'une unité. Pour la même raison, ce nombre baissera encore et encore, jusqu'à ce qu'il n'y en ait plus. Il ne reste alors que des boules portant le numéro n ou moins, et vous perdez. En résumé, si le plus grand numéro porté par les boules est $n + 1$, vous perdez. C'est ce qu'il manquait pour achever notre preuve par récurrence.

Vous pouvez faire durer le jeu aussi longtemps qu'il vous plaira, mais il s'arrêtera après un nombre fini de coups. Néanmoins ce nombre peut être aussi grand que vous le souhaitez.

21. Les bateaux qui passent

Du temps où l'on traversait l'Atlantique en paquebot, un bateau quittait Londres chaque jour à 16 heures pour New York et y arrivait exactement sept jours plus tard.

Chaque jour au même instant (à 11 heures en raison du décalage horaire), un bateau quittait New York pour Londres, où il arrivait exactement sept jours plus tard.

Tous les bateaux suivaient exactement la même route, se déportant tout juste un peu quand ils se croisaient pour éviter les collisions.

Combien de bateaux venant de Londres rencontrait chaque bateau en provenance de New York durant son voyage transatlantique, sans tenir compte de celui qui arrive au moment où il part et de celui qui part au moment où il arrive ?

RÉPONSE

Treize bateaux.

Supposons que le bateau quitte New York le 10 janvier (la date importe peu mais ce choix rend les calculs commodes). Il arrive le 17 janvier, juste au moment où part le bateau de Londres.

De même, le bateau qui avait quitté Londres le 3 janvier arrive à New York le 10 janvier, à l'instant précis où part notre bateau.

En haute mer, il rencontre donc les bateaux qui étaient partis de Londres du 4 au 16 janvier, soit treize bateaux en tout.

BLAGUES MATHÉMATIQUES

22. Le bruit du mathématicien qui se noie

L'article précédent me rappelle (je ne sais pas si c'est une bonne nouvelle) une devinette :

Q : Quel est le bruit du mathématicien qui se noie ?

R : log log log log log log log…

23. Mathématiciens méditant à propos des mathématiques

«Les mathématiques sont écrites pour les mathématiciens» (Nicolas Copernic).

«Les mathématiques sont l'arbitre suprême. Leurs décisions sont sans appel. Nous ne pouvons pas changer les règles du jeu, pas même assurer que le jeu est juste» (Tobias Dantzig).

«Avec moi, tout se transforme en mathématiques» (René Descartes).

«Les mathématiques peuvent se comparer à un grand rocher dont on voudrait connaître l'intérieur. Les premiers mathématiciens étaient semblables à des tailleurs de pierre persévérants qui essayaient de démolir lentement le rocher de l'extérieur avec leur marteau et leur ciseau. Leurs successeurs ressemblent plutôt à des experts mineurs qui cherchent la faille la plus vulnérable et forent à ces endroits stratégiques pour y placer les charges qui feront exploser le rocher» (Howard E. Eves).

«Le grand livre de la nature est écrit en langage mathématique» (Galilée).

«Les mathématiques sont la reine des sciences» (Carl Friedrich Gauss).

«Les mathématiques sont un langage» (Josiah Willard Gibbs).

«En tant que sport intellectuel, les mathématiques sont intéressantes, mais il ne devrait pas être permis de faire barrage à la recherche d'informations sensées sur les processus physiques» (Richard Wesley Hamming).

«Les mathématiques pures sont dans l'ensemble nettement plus utiles que les mathématiques appliquées. La technique est ce qu'il y a de plus utile, et la technique mathématique provient principalement des mathématiques pures» (Geoffrey Harold Hardy).

«L'une des plus grandes méprises à propos des mathématiques, que nous perpétuons dans nos salles de classe, c'est que le professeur semble connaître la réponse de tous les problèmes qui sont traités. Cela donne l'impression à l'élève qu'il y a quelque part un livre contenant toutes les réponses des questions intéressantes, et que les professeurs connaissent ces réponses. Et que si nous pouvions mettre la main sur ce livre, tout serait réglé. C'est tellement contraire à la vraie nature des mathématiques» (Leon Henkin).

«Les mathématiques se jouent selon des règles simples et avec des symboles sans signification» (David Hilbert).

«Les mathématiques sont la science de ce qui est clair en soi» (Carl Gustav Jacob Jacobi).

«Les mathématiques sont la science qui utilise des mots simples pour exprimer des idées difficiles» (Edward Kasner et James Newman).

«L'objet principal de toutes les recherches portant sur le monde extérieur devrait être de découvrir l'ordre rationnel et l'harmonie qui lui ont été fixés par Dieu et qu'Il nous a révélés dans le langage des mathématiques» (Johannes Kepler).

«En mathématiques, on ne comprend jamais, on s'habitue» (John von Neumann).

«Les mathématiques sont la science qui tire des conclusions nécessaires» (Benjamin Peirce).

«La mathématique est l'art de donner le même nom à des choses différentes» (Henri Poincaré).

«On entend souvent dire que les mathématiques consistent principalement à "prouver des théorèmes". Est-ce que le métier d'un écrivain consiste principalement à "écrire des phrases"?» (Gian-Carlo Rota).

«Les mathématiques peuvent être définies comme une science dans laquelle on ne sait jamais de quoi on parle, ni même si ce que l'on dit est vrai» (Bertrand Russell).

«La mathématique est la science de la forme signifiante» (Lynn Arthur Steen).

«Les mathématiques ne sont pas un livre, confiné sous une couverture et relié par des attaches d'airain, dont un peu de patience suffirait à venir à bout; ce n'est pas une mine, dont les richesses sont difficilement accessibles mais qui ne se trouvent que dans un nombre limité de veines et de filons; ce n'est pas un sol, dont la fertilité peut être épuisée par trop de moissons qui se succèdent; ce n'est pas un continent ou un océan dont on peut dresser la carte et définir les contours: elles sont sans limites comme cet espace qu'elles trouvent trop borné pour leurs aspirations; leurs possibilités sont aussi infinies que les mondes qui se massent et se multiplient dans les gaz des astronomes» (James Joseph Sylvester).

«Les mathématiques transfigurent la rencontre fortuite des atomes en entrelacs tracé par le doigt de Dieu» (Herbert Westren Turnbull).

«Dans de nombreux cas, les mathématiques sont une fuite de la réalité. Les mathématiciens trouvent leur niche monastique et leur bonheur dans des recherches déconnectées des affaires du monde extérieur» (Stanislas Ulam).

«Dieu existe puisque les mathématiques ne sont pas contradictoires; le diable aussi, puisque nous ne pouvons pas le prouver» (André Weil).

«Les mathématiques en tant que science sont nées quand pour la première fois quelqu'un, probablement un Grec, a prouvé des propositions à propos "de" ou "des" choses, sans spécifier ou définir ces choses» (Alfred North Whitehead).

«La philosophie est un jeu avec un but et pas de règles. Les mathématiques sont un jeu avec des règles mais pas de but» (Anonyme).

24. Les moutons de Wittgenstein

Cette histoire est racontée par John Edensor Littlewood, analyste à Cambridge, dans son très bon petit livre *A Mathematician's Miscellany* («Les miscellanées d'un mathématicien»).

Le maître d'école: «Supposons que x soit le nombre de moutons.»

L'élève: «Mais, monsieur, et si x n'était pas le nombre de moutons?»

Littlewood raconte qu'il est allé demander à Ludwig Wittgenstein, un grand philosophe de Cambridge, si la blague était profonde. Réponse: elle l'est.

25. Techniques de preuves

- *Preuve par contradiction :* « Ce théorème contredit un célèbre résultat de Newton. »
- *Preuve par métacontradiction :* « Nous allons prouver qu'une preuve existe. Pour cela, supposons qu'aucune preuve n'existe… »
- *Preuve par procrastination :* « Nous allons prouver la semaine prochaine… »
- *Preuve par cycle de procrastination :* « Ainsi que nous l'avons prouvé la semaine dernière… »
- *Preuve par procrastination infinie :* « Comme convenu la semaine dernière, nous allons prouver la semaine prochaine… »
- *Preuve par intimidation :* « Comme n'importe quel imbécile peut le voir, la preuve est d'une trivialité évidente. »
- *Preuve par intimidation procrastinative :* « Comme n'importe quel imbécile peut le voir, la preuve est d'une trivialité évidente. – Excusez-moi, professeur, en êtes-vous vraiment certain ? » Il part une demi-heure. Revient. « Oui. »
- *Preuve informelle par brassage d'air :* Utilise des mouvements de mains. Très efficace en séminaire ou en conférence.
- *Preuve informelle par brassage d'air vigoureux :* La même en plus fatigante. Plus efficace.
- *Preuve par citation un peu optimiste :* « Comme Pythagore l'a prouvé, la somme de deux cubes ne donne jamais un cube. »
- *Preuve par intime conviction :* « Je crois profondément que le pseudo-ensemble de Mandelbrot quaternionique est localement disconnexe. »
- *Preuve par référence à venir :* « Ma preuve du caractère localement disconnexe du pseudo-ensemble de Mandelbrot

quater-nionique sera publiée dans un prochain article.»
Pas si prochain que ça, la plupart du temps.

- *Preuve par l'exemple*: «On prouve le cas $n = 2$ et soit ensuite $2 = n$.»
- *Preuve par omission*: «Les 142 autres cas se traitent de la même façon.»
- *Preuve par externalisation*: «Les détails sont laissés au lecteur.»
- *Énoncé par externalisation*: «La formulation correcte du théorème est laissée au lecteur.»
- *Preuve par notation incompréhensible*: «Si vous parvenez au bout de ces 500 pages d'ahurissantes formules à six alphabets, vous verrez que ce théorème doit être vrai».
- *Preuve par autorité*: «J'ai vu Milnor à la cafète et il a dit qu'il pensait que c'était probablement disconnexe.»
- *Preuve par communication personnelle*: «Le pseudo-ensemble de Mandelbrot quaternionique est localement disconnexe (Milnor, communication personnelle).»
- *Preuve par autorité floue*: «Il est bien connu que le pseudo-ensemble de Mandelbrot quaternionique est localement disconnexe.»
- *Preuve par pari qui marque les esprits*: «Si le pseudo-ensemble de Mandelbrot quaternionique n'est pas localement disconnexe, je plonge du haut d'un pont habillé en gorille.»
- *Preuve par érudition*: «La connexité locale du pseudo-ensemble de Mandelbrot quaternionique se prouve en adaptant la méthode de Steck et Fritz à des quasi-variétés non compactes de dimension infinie sur des corps gauches de caractéristique supérieure à 11.»
- *Preuve par réduction au mauvais problème*: «Pour voir que le pseudo-ensemble de Mandelbrot quaternionique est localement disconnexe, on le réduit au théorème de Pythagore.»
- *Preuve par référence inaccessible*: «Une preuve du caractère localement disconnexe du pseudo-ensemble de Mandelbrot quaternionique peut être facilement déduite du mémoire publié à compte d'auteur par Pzkrzwcziewszcii, dont le seul exemplaire connu a été relié avec le volume $1\frac{1}{2}$ des épreuves d'imprimeur des *Actes de la Société des tricoteuses du Sud-Liechtenstein* pour 1831.»

26. Calembours

Qu'est-ce qu'un ours polaire ?
Un ours cartésien après un changement de coordonnées.

27. L'homme qui n'aimait que les nombres

Paul Erdős.

Le brillant mathématicien hongrois Paul Erdős était d'une excentricité sans pareille. Il n'a jamais formellement occupé de poste universitaire et ne possédait aucun logement. Il voyageait sans cesse à travers le monde, habitant temporairement chez des amis et des collègues. Il a publié plus d'articles en collaboration que n'importe qui.

Il connaissait par cœur le numéro de téléphone de nombreux mathématiciens et pouvait les appeler à n'importe quelle heure, sans tenir compte des fuseaux horaires. Mais il était incapable de se souvenir du prénom de qui que ce soit. Excepté de celui d'un certain Tom Trotter, qu'il s'évertuait d'ailleurs à appeler Bill.

Un jour, Erdős rencontre un mathématicien et lui demande d'où il vient.

«De Vancouver.

— Vraiment? Mais alors vous devez connaître mon ami Elliot Mendelson?»

L'autre, en hochant la tête:

«Certainement, Paul, c'est moi ton ami Elliot Mendelson.»

28. L'autre cocotier

Un mathématicien et un ingénieur ont fait naufrage et trouvent refuge sur une île déserte. Ils ne peuvent tirer subsistance que de deux cocotiers, un grand et un plus petit, chacun portant une noix de coco à son sommet.

L'ingénieur décide d'attraper la plus haute tant qu'il leur reste encore des forces. Il grimpe sur le grand cocotier et revient avec la noix de coco. Ils l'ouvrent à l'aide d'une pierre, la boivent et la mangent.

Trois jours plus tard, la soif et la faim faisant leur office, c'est le mathématicien qui s'y colle : rassemblant le peu de force qu'il lui reste, il grimpe sur le petit cocotier, détache la noix et redescend avec. Puis, sous le regard perplexe de l'ingénieur, le mathématicien zigzague jusqu'au grand cocotier, l'escalade en gémissant, arrive en sueur au sommet et y dépose son précieux chargement. Non sans mal, il redescend. Épuisé.

L'ingénieur fixe sans comprendre le mathématicien, puis le grand cocotier, puis à nouveau le mathématicien : « Mais qu'est-ce qui t'a pris de faire ça ? »

Alors l'autre, avec le sourire de satisfaction de celui qui a accompli son devoir : « Il suffit maintenant de se reporter au cas précédent. »

29. La blague mathématique la plus courte du monde et de tous les temps

Soit $\varepsilon < 0$.

Si vous ne la comprenez pas, voici l'explication!

En analyse, ε désigne toujours un nombre réel positif. Cette tradition est comme inscrite dans les gênes d'un mathématicien. La blague est une variante abstraite de la question de mécanique qui commencerait par «Soit un éléphant de masse négligeable...». Si vous la comprenez et que vous ne la trouviez pas drôle, bienvenue au club!

30. L'esprit ailleurs

Norbert Wiener.

Norbert Wiener est l'un des pères de la science des processus aléatoires et de la cybernétique. Ce brillant mathématicien de la première moitié du XXe siècle était également réputé pour sa prodigieuse distraction. Un jour que la famille déménageait dans une nouvelle maison, sa femme jugea bon de lui écrire la nouvelle adresse sur une petite fiche.

«Ne sois pas idiote, dit-il à sa femme, je ne vais quand même pas oublier une chose aussi importante.» Mais à tout hasard il prit la fiche, la glissa dans sa poche, puis embrassa sa femme et partit au bureau.

Plus tard dans la journée, Wiener en plein travail eut besoin de papier. Il se souvint de la fiche, la sortit de sa poche, la couvrit d'équations, puis, satisfait de ses calculs, la roula en boule et la jeta quelque part.

Le soir venu, il se souvint qu'il avait déménagé... qu'il avait déménagé mais où? Il se souvint alors de la fiche... mais où donc était-elle passée? Alors, en désespoir de cause, il retourna à son ancienne adresse et avisa une petite fille qui se trouvait par là.

«Excuse-moi, petite, tu ne saurais pas où a déménagé la famille Wiener?»

Alors la petite fille que sa maman avait envoyée au cas où:

«Viens, papa, suis-moi.»

31. Une autre série de chats en mathématiques

- Erwin Schrödinger avait-il un chat ?
  Oui et non.
- Werner Heisenberg avait-il un chat ?
  Je n'en suis pas sûr.
- Kurt Gödel avait-il un chat ?
  S'il en avait un, nous ne pourrions pas le prouver.
- Fibonacci avait-il un chat ?
  En tout cas, il avait beaucoup de lapins.
- Augustin Louis Cauchy avait-il un chat ?
  C'est une question complexe.
- Georg Bernhard Riemann avait-il un chat ?
  Cette hypothèse n'a pas encore été prouvée.

32. Des non-mathématiciens inspirés par les mathématiques

«L'ordre du monde ne peut se révéler sans connaissance des mathématiques» (Roger Bacon).

«J'ai un jour ressenti une émotion mathématique. Je voyais entièrement… Je voyais, comme on peut voir un transit de Vénus ou le serment d'allégeance du maire de Londres, une quantité traverser l'infini et changer son signe plus en un signe moins. Je comprenais exactement pourquoi cette transformation avait lieu et pourquoi elle était inévitable. Mais c'était après le dîner, et je l'ai laissée filer» (Sir Winston Spencer Churchill).

«Les mathématiques semblent vous doter d'une sorte de sens supplémentaire» (Charles Darwin).

«Pour un physicien, les mathématiques ne sont pas simplement un outil par le moyen duquel des phénomènes peuvent être déterminés. Elles forment la principale source des concepts et des principes qui permettent de créer de nouvelles théories» (Freeman Dyson).

«Ne vous inquiétez pas de vos problèmes en mathématiques. Je peux vous assurer que les miens sont bien plus importants» (Albert Einstein).

«Quiconque ne se débrouille pas en mathématiques n'est pas humain au sens entier du terme. Il ne vaudra guère mieux qu'une créature ayant appris à porter des chaussures, à se laver et à ne pas mettre le bazar dans la maison» (Robert A. Heinlein).

«Les mathématiques peuvent être comparées à un excellent moulin, capable de moudre au degré de finesse désiré. Mais le résultat dépend de ce qu'on y met, et de même que le meilleur moulin du monde ne produira jamais de farine de blé à partir de cosses de petits pois, des pages d'équations ne transformeront jamais des données imprécises en un résultat conséquent» (Thomas Henry Huxley).

«La médecine rend les gens malades, les mathématiques les rendent tristes et la théologie les rend pécheurs» (Martin Luther).

«Je leur dis que s'ils s'intéressaient à l'étude des mathématiques, ils y trouveraient le meilleur remède contre la tentation de la chair» (Thomas Mann).

«Le plus grand des problèmes non résolus des mathématiques est de savoir pourquoi certains y sont meilleurs que d'autres» (Adrian Mathesis[1]).

«Elle savait seulement que si elle disait ceci et cela, les hommes ne manqueraient pas de lui adresser les compliments correspondants. C'était comme une formule mathématique et pas plus difficile à appliquer, car les mathématiques étaient la seule science que Scarlett avait assimilée sans peine durant son séjour à l'école» (Margaret Mitchell).

«L'avancement et la perfection des mathématiques sont intimement liés à la prospérité de l'État» (Napoléon Ier).

«Les propositions mathématiques n'expriment aucune pensée... Nous utilisons les propositions mathématiques uniquement pour déduire de propositions non mathématiques des propositions pas plus mathématiques» (Ludwig Wittgenstein).

---

1. Probablement un pseudonyme.

«[Les mathématiques] constituent un monde indépendant. Entièrement créé par l'esprit» (William Wordsworth).

«Je me désole de dire que les mathématiques étaient ce que je détestais le plus. J'y ai réfléchi. Je pense que c'était parce que les mathématiques ne laissent pas de place à l'argumentation. Si vous faites une erreur, vous en faites une et voilà tout» (Malcolm X).

«Les mathématiques sont au savoir ce que la roue est au paon» (Vieux proverbe indien).

33. Quel hôpital fermer?

Les statisticiens savent que combiner des données entre elles peut conduire à d'étranges résultats. Voici une illustration du phénomène connu sous le nom de paradoxe de Simpson.

Deux hôpitaux, la Charcuterie-Miséricordieuse et la Boucherie-Compatissante, se trouvent dans le même secteur géographique. Le ministère étudie leur taux de réussite sur les opérations chirurgicales afin de fermer le moins performant.

- Sur 2 100 patients opérés à la Charcuterie-Miséricordieuse, 63 (3 %) sont morts.
- Sur 800 patients opérés à la Boucherie-Compatissante, 16 (2 %) sont morts.

Pour le ministère, la situation est parfaitement claire : la Boucherie-Compatissante ayant un taux de mortalité plus faible, il convient de fermer la Charcuterie-Miséricordieuse.

Naturellement, le directeur de cet hôpital proteste. Pour faire valoir son point de vue, il propose au ministère de revoir ses calculs en séparant les hommes et les femmes. Celui-ci se fait bien un peu prier car il ne voit pas comment l'opération pourrait améliorer le score de la Charcuterie-Miséricordieuse. Mais regarder les données sous cette nouvelle forme prenant moins de temps qu'il n'en faut pour argumenter, il finit par accepter. Voici les résultats obtenus en tenant compte du sexe :

- Sur 600 femmes et 1 500 hommes opérés à la Charcuterie-Miséricordieuse, 6 femmes (1 %) et 57 hommes (3,8 %) sont morts.
- Sur 600 femmes et 200 hommes opérés à la Boucherie-Compatissante, 8 femmes (1,33 %) et 8 hommes (4 %) sont morts.

Remarquez que l'addition de ces chiffres correspond bien au résultat précédent.

Curieusement, pourtant, la Boucherie-Compatissante a désormais un moins bon taux de réussite dans les deux catégories, alors que sur les deux types de données combinés, elle en avait un meilleur.

Pour finir, le ministère dut maintenir ouvert les deux hôpitaux, incapable qu'il était de motiver son choix par une décision qui ne puisse être contestée auprès du tribunal concerné.

34. C'est la suite de Fibonacci qui entre dans un bar…

C'est la suite de Fibonacci qui entre dans un bar. Une bonne bière bien fraîche, voilà ce qu'il lui faut. Mais le barman n'est pas de cet avis :

« On ne sert pas les suites de Fibonacci ! »

La suite de Fibonacci dépitée s'en retourne dans la rue et y croise la suite constante égale à 1.

« J'ai une idée », dit cette dernière.

Les 1 grimpent sur les épaules des nombres de Fibonacci et l'attelage s'en revient au bar. Le barman regarde de haut la suite des inverses des nombres de Fibonacci :

« Vous ne seriez pas une suite de Fibonacci au moins ? »

Alors la suite, l'air de rien :

« Je ne croîs pas. »

35. Ceci explique cela

- Le savoir, c'est la puissance.
- Le temps, c'est de l'argent.

Or, par définition :

- Puissance = $\dfrac{\text{travail}}{\text{temps}}$

D'où

- Temps = $\dfrac{\text{travail}}{\text{puissance}}$

ce qui implique que

- Argent = $\dfrac{\text{travail}}{\text{savoir}}$

Conclusion :

- Pour un travail donné, plus vous en savez, moins vous gagnez.

36. Faux, pas même énoncé et encore moins prouvé

James Joseph Sylvester.

James Joseph Sylvester est un mathématicien du XIXe siècle qui se spécialisa dans l'algèbre et la géométrie. Il travailla longtemps avec Arthur Cayley qui gagnait sa vie en tant que juriste. Cayley était doué d'une excellente mémoire et connaissait presque tout ce qui se faisait alors en mathématiques. Sylvester était son exact opposé.

Le mathématicien américain William Pitt Durfee envoya un jour l'un des ses travaux à Sylvester. Pour toute réponse, il se vit informé que le premier théorème que son article mentionnait était faux, qu'il n'avait pas même été énoncé et encore moins prouvé. Durfee lui fit alors parvenir un article dont le principal objet était précisément de prouver le théorème concerné, ce qui était fait avec succès.

Un article qui avait été écrit par Sylvester.

37. Métablague mathématique

Un ingénieur, un physicien et un mathématicien se trouvent dans une blague, très semblable à celles que vous pouvez connaître, mais ne savent pas encore qu'ils y sont[1]. L'ingénieur griffonne trois calculs sur le dos d'une enveloppe et glousse comme une dinde : il a compris qu'il était dans une blague. Peu de temps après, le physicien se met à rire aussi, avec force éclats qui plus est : en se basant sur une sorte d'analogie avec une sorte de particule dans une sorte de boîte, il a compris qu'il était dans une blague. Le mathématicien, lui, conserve la même attitude impassible. Alors au bout d'un moment, les autres n'y tiennent plus et lui demandent pourquoi il ne rigole pas.

« J'ai tout de suite compris que j'étais dans une anecdote ou un truc de ce genre, répond-il gravement. Grâce à l'étude des comportements structurels caractéristiques de cette anecdote, j'ai même pu m'assurer qu'il s'agissait bien d'une blague. Mais pour tout dire, cette blague est une conséquence trop triviale du cas général pour être vraiment drôle. »

---

1. Ils croient qu'ils sont dans un bar.

38. Le chien de Lincoln

Bon, le chien peut avoir perdu sa queue, ou des pattes, ou peut être un mutant avec six pattes et cinq queues... Mais blague à part, la question permet de distinguer les mathématiciens des politiciens. Lincoln posa sa question dans le contexte de l'esclavagisme, à un adversaire politique qui prétendait que l'esclavage était une façon de protéger les Noirs, sous-entendant par là qu'il s'agissait d'un phénomène bénin. Selon Lincoln, «le chien aurait toujours quatre pattes, car appeler une queue une patte n'en fait pas une patte pour autant». Il voulait dire par là qu'appeler l'esclavage protection ne suffisait pas pour modifier sa nature. Le fameux «rouge à lèvres sur un cochon» qu'adressa Barack Obama à Sarah Palin relève de la même rhétorique, même si ses adversaires ont choisi d'interpréter cette locution proverbiale américaine comme une insulte[1].

Sans tenir compte du contexte, pourtant, la plupart des mathématiciens penseraient, à l'encontre du président Lincoln, que le chien aurait cinq pattes. Renommer une queue en patte équivaut à une redéfinition temporaire, ce qui est très courant en mathématiques. En algèbre, par exemple, l'inconnue est souvent notée x, mais la valeur de x diffère d'un problème à un autre. Ce n'est pas parce que x valait 17 dans le devoir de la semaine dernière qu'il vaudra encore 17 dans le devoir à rendre pour demain. On

---

1. Ce qui est injuste pour les cochons et ignore une longue tradition de cochonneries politiques, dont le livre *Lipstick on a Pig: Winning in the No-Spin Era by someone Who Knows the Game* («Du rouge à lèvres sur un cochon: gagner à l'ère de la transparence par quelqu'un qui s'y connaît»), par Victoria Clarke, une secrétaire de l'administration George W. Bush. Voir http://en.wikipedia.org/wiki/Lipstick_on_a_pig.

convient habituellement que la redéfinition temporaire reste valable jusqu'à mention expresse du contraire, ou du moins jusqu'à ce que le contexte rende clair qu'elle a été annulée.

En fait, les mathématiciens vont beaucoup plus loin et redéfinissent en permanence leur terminologie, la plupart du temps pour la rendre plus générale. Des concepts tels que le nombre, la géométrie, l'espace et la dimension en fournissent de bons exemples : le sens de ces mots a varié plusieurs fois au fil des progrès des mathématiques.

Ainsi, pour les mathématiciens, si on se met d'accord pour dire qu'une queue est une patte jusqu'à nouvel ordre, alors le sens de « patte » a changé et il faut désormais compter les queues comme des pattes. Et en ce cas, monsieur le Président, avec tout le respect que je vous dois, les chiens ont donc bien cinq pattes. Et justement, qu'advint-il de l'argument politique de Lincoln ? Son adversaire le contourna. Après avoir affirmé que l'esclavage était une forme de protection, il redéfinit le mot protection jusqu'à nouvel ordre, en un sens qui ne le rendait pas synonyme d'acte de gentillesse.

CHRONOLOGIES

39. Une brève histoire des mathématiques

Vers 23 000 av. J.-C.	Ce qui ressemble aux nombres premiers entre 10 et 20 est inscrit sur l'os d'Ishango.
Vers 1 900 av. J.-C.	Ce qui ressemble à une liste de triplets de Pythagore est représenté sur la tablette d'argile babylonienne Plimpton 322. D'autres tablettes recueillent des mouvements de planètes ou des méthodes de résolution d'équations du second degré.
Vers 420 av. J.-C.	Découverte des incommensurables (les nombres irrationnels vus par le biais de la géométrie) par Hippase de Métaponte[1].
Vers 400 av. J.-C.	Les Babyloniens inventent un symbole pour représenter le zéro.
Vers 360 av. J.-C.	Eudoxe développe une théorie rigoureuse des incommensurables.
Vers 300 av. J.-C.	Les *Éléments* d'Euclide placent la démonstration au cœur des mathématiques, et donnent la classification des solides réguliers.
Vers 250 av. J.-C.	Archimède calcule le volume d'une sphère et de quelques autres formes sympathiques.
Vers 36 av. J.-C.	Les Mayas réinventent un symbole pour représenter le zéro.

---

1. Hippase appartenait à l'école pythagoricienne. On dit qu'il annonça sa découverte pendant que lui et quelques autres traversaient la Méditerranée en bateau. Comme les pythagoriciens croyaient que tout dans l'univers se réduisait aux nombres entiers, il ne provoqua pas l'enthousiasme et fut exclu (du bateau aussi selon certaines versions).

Vers 250	Diophante rédige son *Arithmétique* et montre comment résoudre des équations entières et rationnelles. Il utilise des symboles pour désigner des quantités inconnues.
Vers 400	Les Indiens réinventent le symbole pour représenter le zéro. La troisième fois est la bonne.
594	Plus ancienne trace de notation positionnelle en arithmétique.
Vers 830	Dans son *Al-jabr wa'l-muqabalah*, Muhammad ibn Musa al-Kharazmi manipule des concepts algébriques et des entités abstraites allant au-delà des simples nombres, et nous donne le mot « algèbre ». Mais il n'utilise pas de symboles.
876	Première utilisation indiscutable du symbole pour zéro en écriture décimale positionnelle.
1202	Dans son *Liber abbaci*, Fibonacci introduit les nombres qui portent son nom *via* un problème concernant la reproduction des lapins. Il promeut aussi les chiffres arabes et propose des applications des mathématiques relatives au marché des changes.
1500-1550	Les mathématiciens italiens de la Renaissance résolvent des équations du troisième et du quatrième degré.
1585	Simon Stevin introduit le point décimal (la virgule).
1589	Galilée remarque des régularités mathématiques dans la chute des corps.
1605	Johannes Kepler montre que l'orbite de Mars est une ellipse.
1614	John Napier invente le logarithme.
1637	René Descartes invente la géométrie cartésienne.
Vers 1680	Gottfried Wilhelm Leibniz et Isaac Newton inventent le calcul infinitésimal et s'en disputent la paternité.
1684	Newton envoie à Edmund Halley des orbites elliptiques dérivées de la loi de la gravitation en raison inverse du carré.

1718	Abraham de Moivre rédige le premier manuel de probabilités.
1726-1783	Leonhard Euler standardise des notations comme *e*, *i* et systématise la plupart des mathématiques connues, et va au-delà dans un nombre impressionnant de cas.
1788	La *Mécanique analytique* de Joseph-Louis Lagrange place la mécanique sur des bases analytiques, la débarrassant au passage de toute figure.
1796	Carl Friedrich Gauss trouve une méthode pour construire un polygone régulier à 17 côtés (heptadécagone).
1799-1825	Dans les cinq volumes de sa prodigieuse *Mécanique céleste*, Pierre Simon de Laplace formule les mathématiques qui régissent le système solaire.
1801	Dans ses *Disquistiones Arithmeticae*, Gauss pose les bases de la théorie des nombres.
1821-1828	Augustin Louis Cauchy introduit l'analyse complexe.
1824-1832	Niels Henrik Abel et Évariste Galois prouvent que l'équation du cinquième degré n'est pas soluble par radicaux. Galois en profite pour jeter les bases de l'algèbre moderne.
1829	Nikolai Ivanovitch Lobatchevski introduit la géométrie non-euclidienne. Il est suivi de près par János Bolyai.
1837	William Rowan Hamilton définit le plan complexe rigoureusement.
1843	Hamilton formule les lois de la mécanique et de l'optique en utilisant le hamiltonien.
1844	Hermann Grassmann développe la géométrie multidimensionnelle.
1848	Arthur Cayley et James Joseph Sylvester inventent la notation matricielle. Cayley prédit qu'elle ne connaîtra jamais aucune application pratique.

1851	Publication posthume des *Paradoxien des Unendlichen* dans lesquels Bernard Bolzano s'attaque aux mathématiques de l'infini.
1854	Georg Bernhard Riemann introduit la notion de variétés, les «surfaces» courbes de n'importe quelle dimension, ouvrant la voie à la relativité générale d'Einstein.
1858	Möbius invente sa bande.
1859	Karl Weierstrass rend l'analyse rigoureuse à l'aide du formalisme delta-epsilon.
1872	En développant les bases logiques des nombres réels, Richard Dedekind prouve rigoureusement pour la première fois que $\sqrt{2} \times \sqrt{3} = \sqrt{6}$.
1872	Le programme d'Erlangen de Felix Klein représente la géométrie par les invariants de groupes de transformations.
Vers 1873	Sophus Lie commence à travailler sur les groupes, et les mathématiques de la symétrie font un grand bond en avant.
1874	Georg Cantor introduit la théorie des ensembles et les nombres transfinis.
1885-1930	Épanouissement de l'école italienne de géométrie algébrique.
1886	Henri Poincaré trébuche sur un point de la théorie du chaos et remet l'usage des images au goût du jour.
1888	Wilhelm Killing classifie les groupes de Lie simples.
1889	Giuseppe Peano énonce ses axiomes sur les nombres naturels.
1895	Poincaré jette les bases de la topologie algébrique.
1900	David Hilbert présente ses 23 problèmes au Congrès international des mathématiciens.
1902	Henri Lebesgue invente la théorie de la mesure et l'intégrale de Lebesgue dans sa thèse de doctorat.

1904	Helge von Koch invente la courbe du flocon de neige, qui est continue mais non différentiable, simplifiant un précédent exemple dû à Weierstrass et anticipant la géométrie fractale.
1910	Bertrand Russell et Alfred North Whitehead prouvent que $1 + 1 = 2$ à la page 379 du volume I de leurs *Principia mathematica*, et formalisent la totalité des mathématiques en utilisant la logique symbolique.
1931	Le théorème de Kurt Gödel montre les limites des mathématiques formelles.
1933	Andreï Kolmogorov énonce les axiomes de la théorie des probabilités.
Vers 1950	Décollage des mathématiques modernes abstraites. Après, tout se complique.

40. Une brève histoire des mathématiques futures

2087   On retrouve le théorème perdu de Fermat (au dos d'un recueil de cantiques dans les archives secrètes du Vatican).

2132   Une définition générale de la vie est formulée au Congrès intercontinental des biomathématiciens.

2133   Andrey et Deyzert prouvent que la vie ne peut pas exister.

2156   Steck et Fritz prouvent qu'est irrationnel ou la constante d'Euler, ou le nombre de Feigenbaum, ou la dimension fractale de l'univers.

2222   La consistance des mathématiques est établie : c'est celle d'un fromage à pâte molle.

2237   Marquès et Spinoza prouvent que l'indécidabilité de l'indécidabilité de l'indécidabilité de l'indécidabilité du problème P = NP ? est indécidable.

2238   Jebian Trobu prouve la fausseté de l'hypothèse de Riemann en montrant qu'il existe au moins 42 zéros $\sigma + it$ de la fonction zêta vérifiant $\sigma \neq \frac{1}{2}$ et $t < \exp \exp \exp \exp \exp ((\pi^e + e^\pi) \log 42)$.

2240   On a reperdu le théorème perdu de Fermat.

2241   La conjecture de la saucisse est prouvée en dimension quelconque, sauf 5, et avec quelques exceptions possibles en dimension 14 (pour lesquelles la preuve est controversée car elle paraît trop simple).

2299   Un contact est établi avec les extraterrestres de Grumpius dont les mathématiques comprennent une classification complète de la topologie de tous les flots turbulents, mais qui se trouvent coincés depuis cinq révolutions galactiques en raison de leur incapacité à résoudre le problème $1 + 1 = ?$

2299	La solution du problème 1 + 1 =? par Mekel Bonn-Thêt, écolière de six ans, marque le début de la coopération terro-grumpienne.
2300	Formulation des 744 problèmes de Dilbert au Congrès interstellaire des mathématiciens.
2301	Départ des Grumpiens. Chez eux, c'est le début de la saison de cricket.
2408	Reculil Tenggle utilise l'orthocalcul grumpien pour montrer que tous les problèmes de Dilbert sont équivalents entre eux, et qu'en conséquence toutes les mathématiques se réduisent à une simple formule[1].
2417	L'ordinateur à ADN supercordé Vast Intellect échoue au test de Turing (sur un truc technique à la noix) mais se déclare intelligent quand même.
2417	Vast Intellect Plus invente la preuve assistée par être humain et l'utilise pour démontrer la Dernière Formule de Tenggle (et les formules de Dilbert en corollaire).
2417	Vast Intellect Super Plus découvre l'inconsistance du système d'exploitation du cerveau humain. Toutes les preuves assistées par être humain sont déclarées invalides.
7999	Cro-Moignon invente le calcul sur les mains. Le règne des machines a pris fin brutalement[2].
11868	Redécouverte des mathématiques, en base 9 cette fois.
0	Réforme du calendrier.
1302[3]	La Formule finale de Tenggle est prouvée, correctement cette fois. Fin des mathématiques.
1302[4]	Avancil Riggle demande ce qui se passe quand on fait varier la constante arbitraire dans la formule finale de Tenggle. Les mathématiques repartent.

1. La fameuse €☉♏︎☽[42]. Plus une constante.
2. Cro-Moignon a perdu un doigt à la suite d'un accrochage avec une caisse enregistreuse devenue folle.
3. 17 mai, 14 h 46.
4. 17 mai, 14 h 47.

Table des matières

Énigmes 9

1. Le dessous des tasses.................................. 9
2. Le calendrier magique 15
3. Le savoir partagé 17
4. Les oignons au vinaigre........................ 21
5. Deviner la carte 23
6. Et maintenant avec un jeu complet........... 25
7. Halloween = Noël................................... 27
8. Curiosité arithmétique 29
9. Pot commun.. 31
10. Cinq doublons d'or 33
11. Un curieux incident à propos d'un chien.......... 37
12. Un théorème des quatre couleurs 39
13. Deviner les cartes 41
14. Deux petits salaires prometteurs 43
15. Compléter le carré 45
16. Le millionième chiffre.......................... 47
17. Carrés, suites et sommes de chiffres............ 49
18. Partager le gâteau................................. 51
19. Le casse-tête d'Euclide......................... 53
20. La loterie infinie 55
21. Les bateaux qui passent 59

Blagues mathématiques 61

22. Le bruit du mathématicien qui se noie 61
23. Mathématiciens méditant à propos
    des mathématiques 62
24. Les moutons de Wittgenstein............... 66

25. Techniques de preuves 67
26. Calembours 69
27. L'homme qui n'aimait que les nombres 70
28. L'autre cocotier 71
29. La blague mathématique la plus courte du monde
    et de tous les temps 72
30. L'esprit ailleurs 73
31. Une autre série de chats en mathématiques 74
32. Des non-mathématiciens inspirés
    par les mathématiques 75
33. Quel hôpital fermer ? 78
34. C'est la suite de Fibonacci qui entre dans un bar... ... 80
35. Ceci explique cela 81
36. Faux, pas même énoncé et encore moins prouvé 82
37. Métablague mathématique 83
38. Le chien de Lincoln 84

Chronologies 87

39. Une brève histoire des mathématiques 87
40. Une brève histoire des mathématiques futures 92

Achevé d'imprimer en Italie par Grafica Veneta
en mars 2016
Dépôt légal mars 2016
EAN 9782290100769
OTP L21ELLN000644N001

—

Ce texte est composé en Lemonde journal et en Akkurat

—

Conception des principes de mise en page :
mecano, Laurent Batard

—

Composition : PCA

—

ÉDITIONS J'AI LU
87, quai Panhard-et-Levassor, 75013 Paris
Diffusion France et étranger : Flammarion

Librio

1175